KU-471-728

Le secret des Darumarond

Novélisation : Natacha Godeau.
Conception graphique : Valérie Gibert & Philippe Sedletzki.

Hachette Livre, 43 quai de Grenelle, 75015 Paris.

Le secret des Darumarond

hachette
JEUNESSE

Pikachu

Ce Pokémon de type Électrik est extraordinaire ! Non seulement il est très malin, mais il est aussi extrêmement gentil, comme Sacha. D'ailleurs, il ne quitte jamais son Dresseur : on peut même dire que c'est son meilleur ami !

Sacha

Sacha vient de Bourg Palette, un petit village dans la région de Kanto. Il parcourt le monde pour accomplir son rêve : devenir un Maître Pokémon. Mais avant ça, il doit s'entraîner à devenir le meilleur Dresseur ! Et il est sur la bonne voie : c'est un garçon tellement gentil que tout le monde veut devenir son ami, même les Pokémon qu'il rencontre !

Rachid est un expert en Pokémon : il connaît presque tout à leur sujet. Pourtant, il n'en attrape pas beaucoup ! En réalité, ce qui l'intéresse vraiment, c'est de rire avec ses amis. Et encore plus de leur faire des petits plats…

Iris

Iris n'a peur de rien, et certainement pas de dire ce qu'elle pense ! Dès qu'elle trouve quelque chose mignon, la jeune fille le veut… surtout si c'est un Pokémon !

Feuillajou

Tout comme son Dresseur Rachid, Feuillajou est gentil et toujours prêt à aider ceux qu'il apprécie. Ce Pokémon Singe Herbe de type Plante peut en guérir d'autres grâce aux feuilles qui poussent sur sa tête.

Coupenotte

Coupenotte est un Pokémon de type Dragon. Il suit Iris partout où elle va. C'est un Pokémon qui fait tout son possible pour aider les autres.

La Team Rocket

Jessie,
James et le Pokémon
parlant Miaouss forment un trio
diabolique. Ils passent leur temps
à essayer de voler des Pokémon !
Cette fois, c'est leur chef, Giovanni,
qui leur a donné la mission d'attraper
le plus de Pokémon possible à Unys
pour monter une armée…

Zekrom et Reshiram sont des Pokémon légendaires. Uniques en leur genre, ils sont tellement puissants qu'ils peuvent bouleverser la météo ! Lorsque Reshiram libère sa chaleur et que Zekrom produit de l'électricité, il vaut mieux s'éloigner !

Chapitre 1

Une mystérieuse disparition

Rachid, Iris et Sacha se rendent à l'Arène de Maillard. Ils se sont arrêtés en chemin pour déjeuner au bord d'une rivière, où Rachid et Iris s'occupent chacun à leur façon du repas.

— C'est prêt ? Je meurs de faim ! s'exclame Sacha.

— Pika ! approuve Pikachu, son Pokémon jaune.

Coupenotte, le Pokémon d'Iris, acquiesce à son tour.

— La spécialité du chef ! annonce Iris en déposant des brochettes de Baies sur la table.

— Cueillir des Baies, ce n'est pas cuisiner, proteste Rachid. Moi, je vous ai préparé une paella végétarienne.

— Miam, tout cela a l'air délicieux ! se réjouit Sacha.

Devant les mines affamées de Pikachu et de Coupenotte, il pousse deux gamelles sous leur nez en les rassurant :

— Tenez, de la nourriture Pokémon aux Baies Oran. On ne vous a pas oubliés !

Au même moment, Iris tourne la tête.

— Oh ! Qu'est-ce que c'est que ça ?

Près d'un buisson, un étrange Pokémon les fixe sans bouger. Il est rond et rouge, avec de drôles de petites cornes jaunes au-dessus des yeux. Curieux, Sacha tire son Pokédex de sa poche et interroge l'encyclopédie électronique.

— Darumarond, le Pokémon Daruma, est un type Feu. Quand il s'endort, il prend l'allure d'un culbuto et il devient impossible à renverser.

— Qu'il est mignon !

Iris se précipite sur le

Pokémon, qui la repousse en lui crachant un jet brûlant à la figure.

Rachid précise :

— Darumarond est un Pokémon qui porte bonheur. Il a pour caractéristique d'être très obstiné.

À cet instant, Pikachu se penche sur sa gamelle, et

découvre que son déjeuner a disparu…

— Pika !

Une dispute s'engage entre lui et Coupenotte. Sacha comprend rapidement ce qui se passe.

— Quelqu'un a pris ton repas, Pikachu, et tu soupçonnes Coupenotte ?

— Coupenotte proteste ! intervient Iris. Il affirme qu'il n'a rien volé du tout.

Heureusement, Sacha a une idée.

— Darumarond, puisque tu regardais la table, est-ce que

tu as vu quelque chose de louche ?

Le Pokémon ne réagit pas, on l'entend juste ronfler. Sacha s'agenouille auprès de lui.

— Je rêve ! Il s'est endormi !

— Il ne faut pas se fier au calme des Darumarond, avertit Rachid. Ce Pokémon peut réserver pas mal de surprises...

Iris profite de la sieste du Darumarond pour le pousser gentiment afin de vérifier que

c'est impossible de le renverser. Et c'est vrai : elle éclate de rire.

Tout à coup, Coupenotte s'énerve en constatant que c'est sa gamelle à lui qui s'est volatilisée, cette fois. Il se fâche, persuadé que Pikachu a voulu se venger, et tous deux se remettent à se battre !

— Oh ! là, là ! soupire Iris. Maintenant, c'est la nourriture Pokémon de Coupenotte qui a disparu. Que se passe-t-il ici, à la fin ?

— Pika !

— Comment, Pikachu ? s'étonne Sacha. Tu as vu le voleur, et c'était… un Darumarond ?

Rachid secoue la tête.

— Impossible. Darumarond est endormi : il n'a pas bougé.

— Eh bien, je crois que si nous voulons résoudre ce mystère, il va falloir le réveiller !

Mais Sacha a beau faire, Darumarond dort à poings fermés…

Pikachu ne s'est pourtant pas trompé : un autre Darumarond surgit soudain des fourrés, les gamelles et le plateau de brochettes dans les bras !

— Oh ! Tout s'explique : il y a deux Darumarond !

Vite, Rachid, Iris et Sacha s'élancent à la poursuite du voleur. Le Darumarond endormi s'éveille alors et bondit dans les airs. Il crache une colonne de feu en travers de leur route avant de se sauver avec son complice Darumarond en direction du pont. Sacha fronce les sourcils. Pas question de se laisser faire ! Brandissant une Poké Ball, il proclame :

— Moustillon, je te choisis !

Le Pokémon Loutre virevolte

sur lui-même, prêt à combattre. Rachid approuve :

— Bonne idée, Sacha, un Pokémon de type Eau, c'est idéal pour affronter un Pokémon de type Feu.

— Moustillon, utilise Pistolet à O ! ordonne le jeune Dresseur.

Le Pokémon Loutre se concentre. Il souffle un torrent puissant en direction des Darumarond, mais ceux-ci évitent habilement le coup en se séparant. D'un seul geste, ils envoient Lance-Flamme contre Moustillon qui, incapable

d'esquiver les deux attaques en même temps, s'écroule dans l'herbe. Sacha se précipite à son secours tandis que les Darumarond en profitent pour s'échapper.

— Pauvre Moustillon ! gémit Iris. Il faut le soigner rapidement.

— Il y a un Centre Pokémon pas loin d'ici, note Rachid. Suivez-moi.

Par chance, Moustillon n'a rien de grave. L'Infirmière Joëlle et Nanméouïe, le Pokémon Audition qui lui sert d'assistant, ont tôt fait de le remettre sur pattes. Ouf ! Sacha est soulagé.

— Moustillon va bien, je vous remercie de tout mon cœur, Infirmière Joëlle.

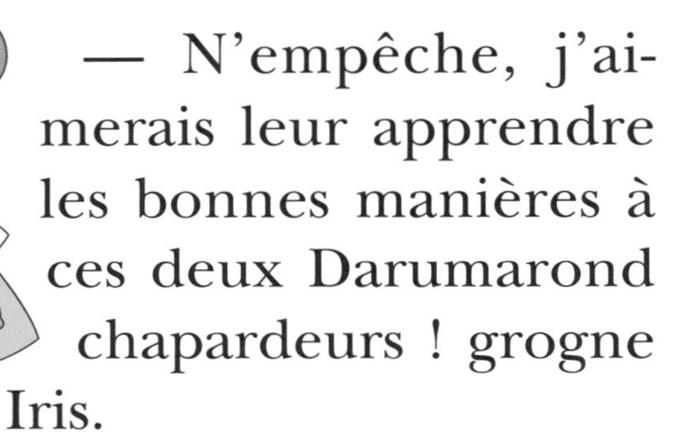

— N'empêche, j'aimerais leur apprendre les bonnes manières à ces deux Darumarond chapardeurs ! grogne Iris.

L'Infirmière hausse un sourcil interrogateur.

— Vous les avez rencontrés ?

— Ça oui ! Pourquoi, vous les connaissez ?

— Tout le monde les connaît dans le coin, confirme l'Infirmière Joëlle. Ils habitent en ville en compagnie de leur ami Darumacho.

— Il s'agit d'un Pokémon Enflammé, la forme évoluée de Darumarond.

— Exactement, Rachid, approuve l'Infirmière. Avant, tout se passait parfaitement avec eux. Et puis subitement, un matin, les deux Darumarond ont commencé à voler de la nourriture aux gens.

— C'est bizarre…

L'Infirmière Joëlle soupire :

— En effet, Sacha. Mais le plus étrange, c'est que depuis ce jour, on n'a plus revu Darumacho.

— Vous ne pensez pas que ces Darumarond ont tout simplement un appétit d'ogre ? demande Iris.

— Ils ne manquent de rien : ils ont tout ce dont ils ont besoin pour vivre. Et même, les connaissant, ce ne serait

pas une raison suffisante pour qu'ils deviennent des voleurs, objecte l'Infirmière.

— Il a dû se passer quelque chose, suppose Sacha.

Tout à coup, Iris aperçoit la tour de l'horloge de la ville par la fenêtre. Elle s'extasie :

— Cette tour est immense !

— Et très, très vieille, note l'Infirmière Joëlle. L'horloge et la cloche ne fonctionnent plus depuis longtemps, les autorités souhaitent démolir la tour de l'horloge.

— Quel dommage !

— Tu veux qu'on aille la visiter, Iris ? propose Sacha. Mais il est tard, dînons d'abord ici, je meurs de faim. Après tout, ces Darumarond infernaux nous ont privés de déjeuner !

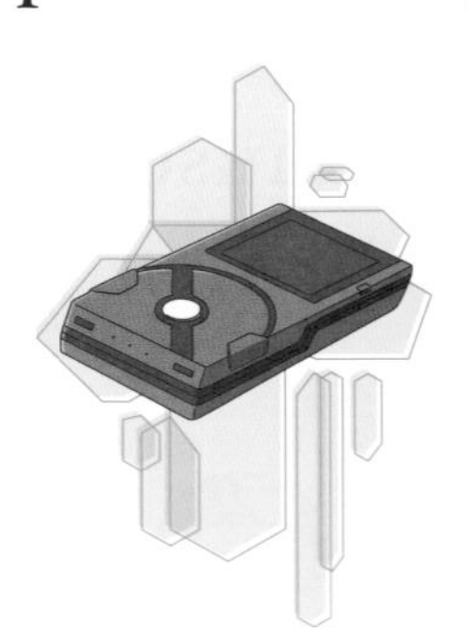

Chapitre 3

La tour de l'horloge

Quel monde, à la cantine du Centre Pokémon ! Il faut dire que la nourriture y est succulente. Sacha et Iris se régalent sous l'œil amusé de Rachid, lorsque l'Infirmière Joëlle annonce :

— Ce soir, en l'honneur de la pleine lune, il y a des gâteaux de lune pour le dessert.

Sacha se lève en lui proposant un coup de main pour servir. Ses amis l'imitent et tous emboîtent le pas à l'Infirmière Joëlle. Hélas, une mauvaise surprise les attend en cuisine : les Darumarond sont en train de chiper les gâteaux !

— Oh non, encore eux ! s'exclame Iris.

La fillette et Sacha se précipitent pour les attraper, mais

les voleurs sautent sur la table et s'échappent par la fenêtre, emportant un gros sac plein de nourriture. Sans hésiter, Sacha brandit une Poké Ball.

— Poichigeon, je te choisis ! Suis les Darumarond, ne perds surtout pas leur trace !

À son tour, il s'élance après

eux dans la rue. Iris le suit avec Rachid en criant :

— Mais qu'est-ce que tu fais, Sacha ?

— Je veux découvrir pourquoi les Darumarond agissent ainsi. Il y a forcément une explication, et je la trouverai !

Ils traversent la ruelle en courant. Loin devant, les deux Pokémon Daruma se séparent sans prévenir à une intersection. Sacha et Iris tournent à droite, aux trousses de celui qui porte le sac, tandis que Rachid prend à gauche derrière l'autre.

Sacha et Iris foncent, mais le Darumarond parvient à les semer sans difficulté.

— Où a-t-il bien pu filer ? s'interroge Sacha à l'angle d'un immeuble.

— Il s'est comme volatilisé ! s'étonne Iris.

Après cette constatation, ils se dépêchent de rejoindre

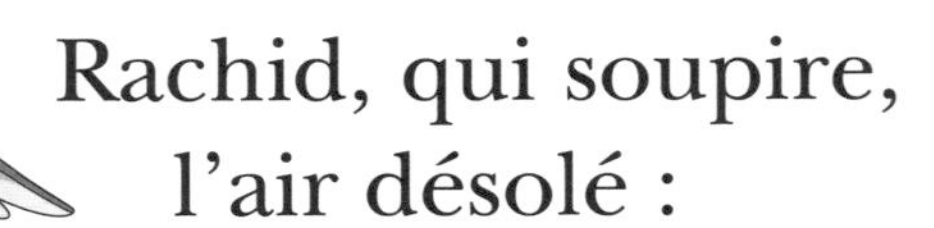

Rachid, qui soupire, l'air désolé :

— Je ne comprends pas : le Darumarond a brusquement disparu…

Sacha réfléchit.

— Ils connaissent les moindres recoins de la ville. Ils ont dû emprunter un raccourci.

— À moins qu'ils n'habitent l'une de ces maisons, suggère Rachid.

Au même instant, Poichigeon revient dans leur direction en roucoulant. Du ciel, le Pokémon de type Vol n'a pas lâché la piste des voleurs. Il

pointe l'aile vers la tour de l'horloge au bout de la rue… où Iris, Sacha et Rachid aperçoivent les Darumarond en haut du perron.

— Ils sont là, ils entrent dans la tour !

Le temps qu'ils parviennent à la porte, les deux Darumarond grimpent déjà l'étroit escalier

de pierre qui mène au sommet de la tour de l'horloge. Sacha et ses amis empruntent les marches à leur tour. Ils débouchent dans la salle de l'horloge, pleine de rouages rouillés et de cordes... où les Darumarond les accueillent avec Lance-Flamme ! Ils grillent même une échelle de bois, posée contre une trappe ouverte dans le plafond ! Sacha sort une Poké Ball de sa poche en urgence.

— Moustillon, à toi de jouer ! Éteins le feu avec Pistolet à O !

Le Pokémon Loutre crache un puissant jet d'eau sur les flammes afin de les étouffer. Les Darumarond rétorquent immédiatement avec une nouvelle attaque, que Sacha esquive.

— Pikachu, arrête-les avec Tonnerre !

Des éclairs jaillissent, stoppant les Darumarond dans leur élan.

— Parfait ! se félicite Sacha. Moustillon, utilise Pistolet à O encore une fois !

Ce dernier coup propulse contre le mur les Pokémon Daruma… qui s'endorment à poings fermés !

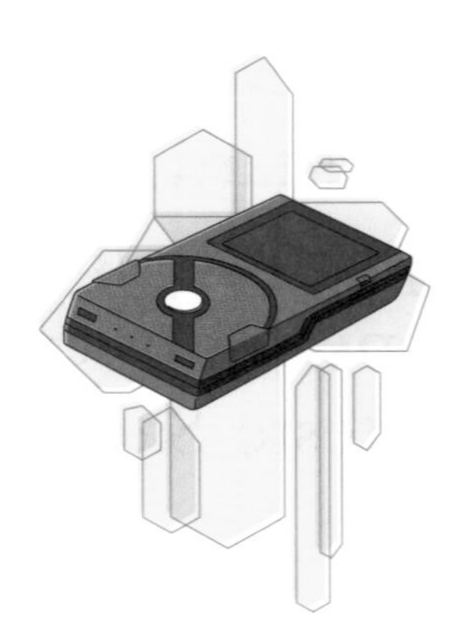

Chapitre 4

Tout s'explique !

Piquer un somme permet aux Darumarond de récupérer des forces. Moins de trente secondes plus tard, ils se réveillent, prêts à reprendre le combat.

— Un peu de calme, vous deux ! proteste Sacha, lassé. On

n'est pas venus pour vous affronter.

— Au contraire, on voudrait devenir vos amis, ajoute Iris.

Les Pokémon Daruma écarquillent les yeux, surpris. Rachid explique :

— On cherche à comprendre pourquoi vous volez autant de nourriture. Vous avez un problème ?

À ces mots, les Darumarond fixent la trappe du plafond.

— Vous voulez monter dans le clocher, à l'étage supérieur ? devine Sacha. D'accord, on va vous aider !

Puis, se tournant vers ses amis :

— J'ai un plan ! Faites-moi la courte échelle pour que je me glisse par la trappe, et je n'aurai plus qu'à hisser les Darumarond jusqu'à moi.

Aussitôt dit, aussitôt fait ! Grâce à Rachid, Sacha atteint sans mal le bord de la trappe. Il s'y faufile avant de jeter une Poké Ball devant lui en commandant :

— Vipélierre, je te choisis !

Le Pokémon Serpenterbe surgit fièrement de la boule.

— Utilise Fouet Lianes pour faire monter Pikachu et les Darumarond !

À ces mots, Vipélierre lance de longues tiges qui s'enroulent autour de la taille des Pokémon, qu'il tracte ainsi auprès de Sacha. Iris et Rachid grimpent à leur tour.

Une fois le petit groupe réuni, Sacha remarque :

— Nous devrions emprunter ces marches, là-bas. Elles doivent directement mener au clocher, juste au-dessus de nos têtes…

Comme pour lui donner raison, les Darumarond s'y engouffrent rapidement. Le Dresseur et ses amis les accompagnent. Lorsqu'ils pénètrent dans la salle au sommet de la tour, Sacha pousse un cri de stupéfaction :

— Oh ! Qu'est-ce que c'est ?

Un étrange Pokémon est figé au milieu de la pièce. Il est très grand, dégage une intense chaleur et ressemble à un rocher. Curieux, Sacha consulte son Pokédex.

— Darumacho, le Pokémon Enflammé, est la forme évoluée

de Darumarond. Quand il manque d'énergie, Darumacho change d'aspect. Il passe du Mode Normal au Mode Transe et se métamorphose en statue afin d'économiser ses forces.

— Il s'agit donc du Darumacho dont nous a parlé l'Infirmière Joëlle, en conclut Iris.

Sacha acquiesce.

— Oui, et il est en train d'utiliser Psyko. Voilà pourquoi les Darumarond volent autant de provisions : ils doivent nourrir leur compagnon pendant qu'il est en Mode Transe.

En effet, les Darumarond donnent les gâteaux de lune à Darumacho. Rachid fronce les sourcils.

— Quelque chose ne colle pas… Darumacho devrait repasser en Mode Normal après avoir mangé. Il devrait déjà avoir récupéré son énergie, non ?

En guise de réponse, les

Darumarond s'approchent de Sacha et lui remettent un immense crochet en acier déformé, avant de se tourner vers Darumacho et de désigner le plafond.

— Regardez ! La vieille cloche tient toute seule en suspension au-dessus de Darumacho !

Rachid hoche la tête.

— Tu as raison, Sacha. J'ai compris le problème : le crochet qui fixe la cloche au plafond a lâché. Et grâce à la puissance mentale de Psyko, Darumacho retient la cloche en

l'air afin de l'empêcher de tomber. Puisqu'elle pèse des tonnes, si elle traversait le plancher, la tour s'effondrerait sur la ville…

— Si les Darumarond apportent toutes ces provisions à Darumacho, c'est pour qu'il ait la force de continuer de retenir la cloche, devine Iris. Bravo, les Darumarond : en fait, vous êtes de gentils voleurs !

— Le moment est venu de te libérer, Darumacho ! décide Sacha.

Sacha brandit une Poké Ball.

— Nous devons commencer par réparer ce crochet, explique-t-il. Et pour effectuer cette tâche, je te choisis, Gruikui !

— Deux Pokémon à la rescousse valent mieux qu'un, déclare Rachid en lançant sa propre Poké Ball. Feuillajou, on a besoin de toi !

Sacha ordonne :

— Gruikui, utilise Flammèche sur le crochet pour le ramollir avant de le tordre comme il faut.

Le Pokémon Cochon Feu crache un jet de flammes sur le crochet abîmé… sans résultat.

— Ce n'est pas assez chaud, regrette Sacha. Il nous faudrait du renfort.

Les Darumarond avancent d'un pas vers Gruikui. Sacha approuve :

— Vous voulez intervenir ? Excellente idée ! Avec trois Pokémon de type Feu, ça devrait fonctionner.

Gruikui utilise à nouveau Flammèche sur le crochet, tandis que les Darumarond le

soutiennent avec Lance-Flamme. Enfin, le crochet rougit. Gagné : l'acier est prêt à être remodelé !

— Feuillajou, utilise Balle Graine sur le crochet, ordonne Rachid.

Le Pokémon Singe Herbe mitraille le crochet de petites graines solides. Sous l'impact, le métal brûlant se tord… jusqu'à former un S qui sera parfait pour suspendre la cloche.

— Génial ! se réjouit Sacha. Maintenant, refroidis-le avec Pistolet à O, Moustillon !

Ce dernier obéit, et Pikachu ramasse finalement le gros crochet. Toutefois, Iris paraît dubitative.

— Comment allons-nous atteindre la poutre du clocher pour y réinstaller le crochet ?

À cet instant, Darumacho se met à briller... et par la puissance de sa volonté, il soulève à distance Sacha et Pikachu !

— Génial, on s'envole ! s'émerveille le jeune Dresseur. Grâce à Psyko, Darumacho nous propulse au sommet du clocher !

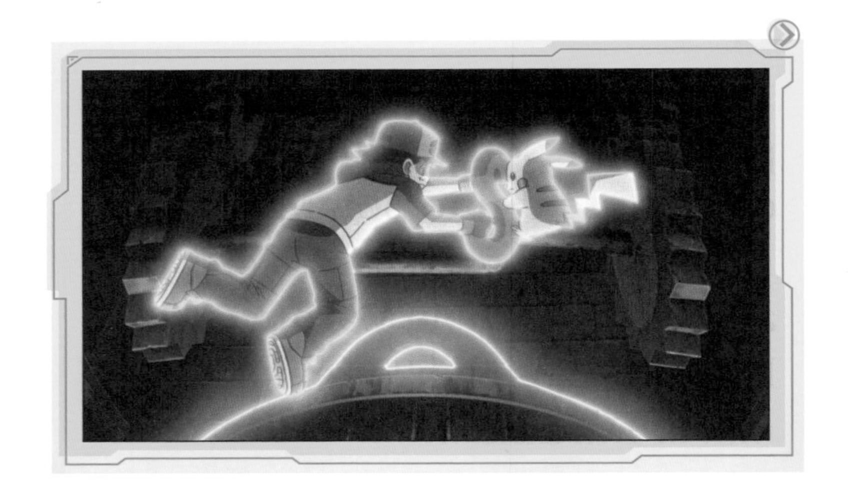

Et en moins d'une minute, Sacha fixe le crochet à la poutre.

— Il ne me reste plus qu'à y suspendre la cloche.

L'ennui, c'est qu'elle pèse beaucoup trop lourd pour lui ! Alors, Darumacho repasse brusquement en Mode Normal. Et avant que l'énorme cloche ne s'écrase par terre, il bondit de

poutre en poutre et la rattrape de justesse d'une poigne ferme.

— Hourra ! s'écrie Sacha en atterrissant sur le parquet avec Pikachu. Tu peux la remettre en place, Darumacho ?

Le Pokémon Enflammé n'a rien perdu de son incroyable force. Il se concentre, hisse la cloche jusqu'à la poutre… et l'y accroche solidement.

— Mission accomplie ! applaudit Sacha. Quel sauvetage héroïque !

Les Darumarond, soulagés, sautent au cou de Darumacho. Sacha ajoute en riant :

— Tout est bien qui finit bien. À présent, il n'est plus question pour vous de voler la moindre nourriture aux gens... sauf en cas de danger imminent, évidemment !

Le lendemain, Sacha, Iris et Rachid reprennent leur route, lorsque l'Infirmière Joëlle les rejoint à la sortie de la ville.

— Attendez ! Je voulais vous annoncer que les autorités ont finalement décidé de ne pas démolir la tour de l'horloge. Ils vont la restaurer et Darumacho et les Darumarond y habiteront.

— Fantastique ! se réjouit Iris. Ils l'ont bien mérité, après tout le mal qu'ils se sont donné pour l'empêcher de s'écrouler…

— J'aime quand les humains et les Pokémon vivent en paix, déclare Rachid.

Juchés au sommet du clocher, Darumacho et les Darumarond leur font signe.

— Salut, vous trois ! crie Sacha. On repassera vous rendre visite, un de ces jours !

Pour l'heure, le jeune Dresseur et ses compagnons doivent se rendre à Maillard, où les attendent de fabuleux combats d'Arène...

Fin

Le Darumarond

Type : Feu

Attaque préférée : Lance-Flamme

Il paraît que le Darumarond est un Pokémon qui porte bonheur, aussi est-il très convoité. Le Darumarond réagit à la chaleur : lorsqu'il a très chaud, il est plein d'énergie, mais dès qu'il refroidit, il perd sa vitalité et s'endort. D'ailleurs, une fois endormi, impossible de le renverser : un vrai culbuto !

As-tu déjà lu les premières histoires de Sacha et Pikachu ?

Le problème de Pikachu

Un mystérieux Pokémon

Le combat de sacha

La capture de Vipélierre

Pour en savoir plus, fonce sur le site

www.bibliotheque-verte.com

Retrouve Sacha et
ses amis dans
3 livres d'activités !
Déjà
disponibles
en librairie
POKéMON
1000
STICKERS
& JEUX
POKéMON
600
AUTOCOLLAN
Avec
32 page
de jeux
MÉGA ACTIVITÉS ET JEUX
POKéMON
hachette

Tu as toujours rêvé de devenir
un Dresseur Pokémon ?
Tu as de la chance :
grâce à cette nouvelle histoire,
tu vas pouvoir faire tes preuves.
Tu es prêt ? Cette fois-ci
c'est à *ton tour* de tous les attraper !

TABLE

hachette s'engage pour l'environnement en réduisant l'empreinte carbone de ses livres. Celle de cet exemplaire est de :
250 g éq. CO_2
Rendez-vous sur www.hachette-durable.fr

Photogravure **Nord Compo** - Villeneuve d'Ascq

Imprimé en Espagne par CAYFOSA
Dépôt légal : avril 2013
Achevé d'imprimer : avril 2013
20.3678.8/01 – ISBN 978-2-01-203678-9
Loi n° 49956 du 16 juillet 1949
sur les publications destinées à la jeunesse